난징함락과 대학살 3

난징대학살을 불러온 결정적 장면

南京的陷落（三）

난징함락과 대학살
난징대학살을 불러온 결정적 장면
3
원저자 저우얼푸
그 림 주전강
각 색 황뤄구
번 역 김숙향

난징함락과 대학살 3

난징대학살을 불러온 결정적 장면

초판인쇄 2015년 8월 14일
초판발행 2015년 8월 14일

원저자 저우얼푸(周而复)
그　림 주전경(朱振庚)
각　색 황뤄구(黃若谷)
번　역 김숙향
펴낸이 채종준
진　행 박능원
기　획 지성영 · 조가연
편　집 백혜림
디자인 조은아
마케팅 황영주 · 한의영

펴낸곳 한국학술정보(주)
주소 경기도 파주시 회동길 230(문발동)
전화 031 908 3181(대표)
팩스 031 908 3189
홈페이지 http://ebook.kstudy.com
E-mail 출판사업부 publish@kstudy.com
등록 제일산-115호 2000. 6. 19

ISBN 978-89-268-7040-2 04910
978-89-268-7034-1 (전4권)

이 책은 '난징대학살(南京大虐殺)' 때 희생된 30만 명이 넘는 무고한 중국인들의 혼백을 추모하며
중일전쟁(中日戰爭, 1937~1945년) 당시 용맹하게 싸운 모든 장병들에게 바친다.

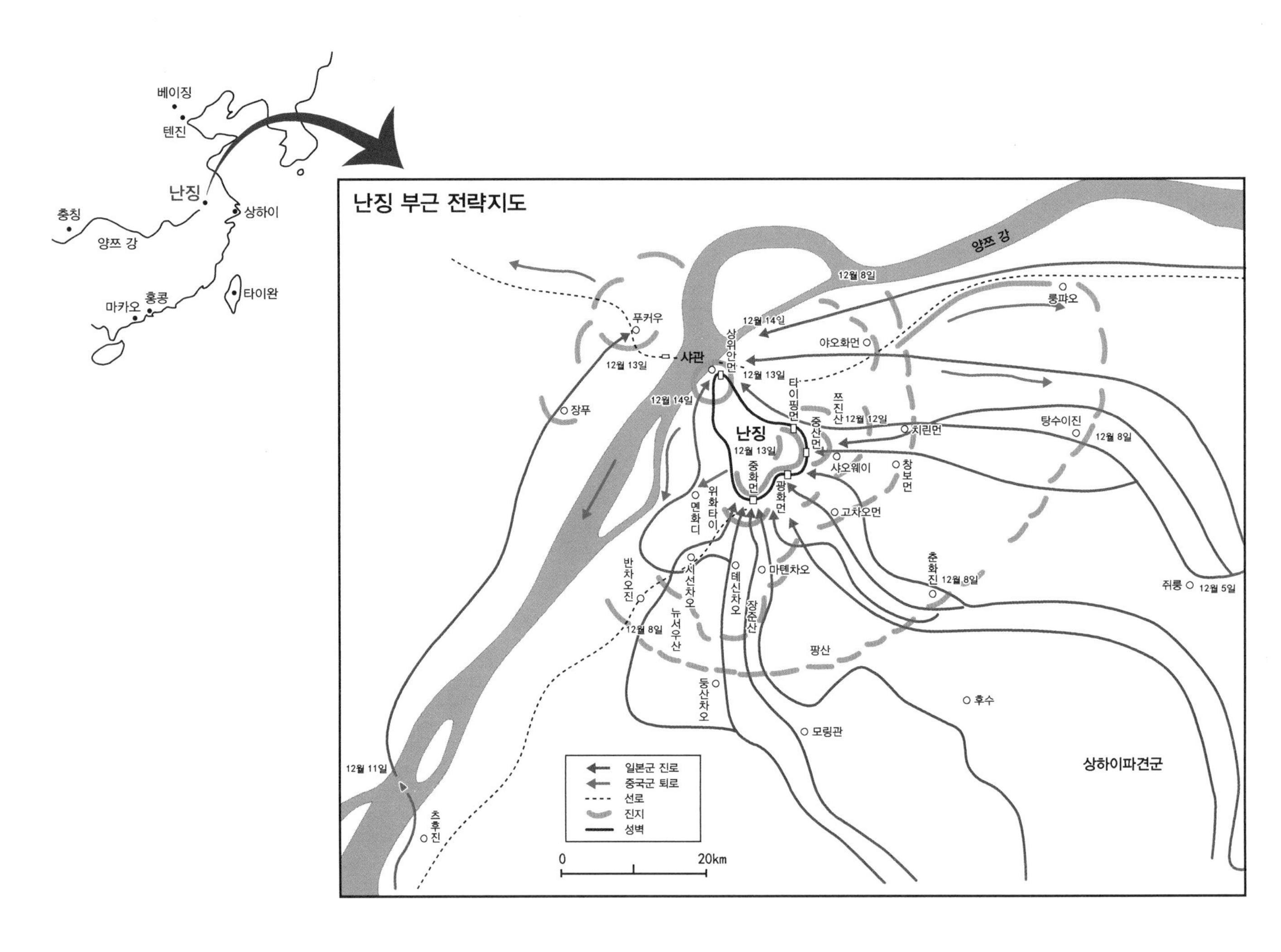

베이징
텐진
난징
충칭
상하이
양쯔 강
마카오
홍콩
타이완
난징 부근 전략지도
양쯔 강
12월 8일
룽판오
12월 14일
푸커우
상위안먼
야오화먼
샤관
12월 13일
12월 13일
타이핑먼
쯔진산
12월 14일
12월 12일
장푸
난징
중산먼
치린먼
탕수이진
12월 8일
12월 13일
샤오웨이
창보먼
중화먼
광화먼
위화타이
몐화디
고차오먼
춘화진
12월 8일
반차오진
서선차오
테신차오
마톈차오
장쥔산
뉴서우산
12월 8일
쥐룽
12월 5일
팡산
둥산차오
후수
모링관
12월 11일
일본군 진로
중국군 퇴로
선로
진지
성벽
0
20km
상하이파견군
초후진

금빛 찬란한 강물이 붉게 물들었다. 전복된 배는 사방으로 표류하였고 물에 빠져 죽은 병사들의 시체는 가라앉았다 다시 떠올라 물살을 타고 흘러갔다. 강물도 오열했다. 피와 살이 낭자한 시아관(下關)에 한바탕 대참사가 일어났음을 보여주었다.

다니 히사오(穀壽夫) 사단장은 위화타이(雨花台)가 이미 함락되었다는 소식을 들었다. 제6사단이 먼저 난징(南京)에 입성할 것 같다는 생각에 흥분을 감출 수 없어 곧장 시라토 미츠오미(白土光臣)를 찾아가 물었다. "난징은 세계에서도 대도시 중의 하나인데 함락시킬 자신이 있나?"

시라토 미츠오미는 자신 있게 말했다. "제아무리 견고하게 지었대도 대일본제국 군사들의 전진을 막을 수는 없습니다!" 다니 히사오는 잔인한 사람이지만 시라토 미츠오미에 비하면 침착했다. "조심해야 해. 난징 성벽은 평균 14미터 높이에 7.62 너비야. 게다가 특수재료로 만들어 강제로 공격할 수 없다. 반드시 계획을 세워야 해."

다니 히사오는 다음 공격 목표인 중화먼(中華門) 공격 시에 반드시 정면에서 양동(陽動)작전을 펴야 한다고 말했다. 수이시먼(水西門)과 중화먼 사이가 바로 중국군의 수비가 허술한 곳이니 여기를 중심으로 공격해야 한다는 뜻이다. 아울러 병사들이 성에 올라갈 수 있도록 준비를 갖추고 성의 위아래에서 동시에 공격해야 한다고 말했다.

그리고 마지막으로 교활하게 웃으며 말했다. "부하들에게 말해두게. 먼저 난징으로 들어가 공격하는 병사 모두에게 포상을 내리고 휴가까지 준다고 말이야." 시라토 미츠오미는 포상과 휴가에 담긴 의미를 알고 있었다. 그것은 바로 중국인들을 한바탕 시원하게 죽여도 되고 강간을 해도 되며 곳곳에 불을 질러도 된다는 뜻이다.

시라토 미츠오미는 온몸이 뜨거워지면서 피가 급하게 도는 느낌이 들었다. 그는 똑바로 차렷 자세를 취하고 크게 소리쳤다. “걱정 마십시오. 사단장님은 우리 연합군의 승전보만을 기다리시면 됩니다!” 그는 말을 마친 후 즉시 몸을 돌려 재빨리 떠났다.

시라토 미츠오미는 연합부대로 돌아와 중대장 이상의 군관들을 소집해 중화먼 공격을 전달하고 임무를 정했다. 그는 다니 히사오가 마지막으로 전한 말, 즉 난징으로 먼저 들어가 공격하는 자에게 포상을 내리고 휴가를 준다는 사실을 강조해서 전달했다. 말이 끝나자 모두가 우레와 같은 환호성을 질렀다.

그 가운데 카야 헤이타로(賀屋兵太郎) 부대의 두 중대장인 미야오카 토시오(宮岡敏夫)와 노다 나오키(野田直樹)는 서로 자기가 먼저 중화먼에 오르겠다고 나섰다. 시라토 미츠오미는 부하들의 왕성한 투지에 흡족해하며 득의양양하게 모두에게 말했다. "지금은 우리가 천황폐하께서 주신 좋은 기회를 놓치지 말고 전심전력을 다해야 할 때다."

시라토 미츠오미는 연합대장을 배치하고 격려를 한 뒤 각자의 진지로 돌려보냈다. 순식간에 중화먼을 향한 공격이 시작되었다. "우르르 쾅!" 대포소리가 난징의 남쪽 외각을 뒤흔들었다.

5백여 년 전 두꺼운 벽돌로 지어진 고성(古城)은 강철 포화의 충격을 견디지 못했다. 중화먼과 수이시먼 사이의 성벽 일부가 허물어졌고 일본군의 포화에 88사단 병사들은 고개를 들지 못하고 성벽에 엎드렸다.

쑨위안량(孫元良)이 이끄는 88사단의 병사들 가운데 일부는 시아관으로 도망갔다. 쑨위안량은 쑹시롄(宋希濂)의 회유로 중화먼으로 돌아온 뒤 참모장 꾸시엔융(辜先勇)에게 성벽에 병력을 배치하라 명령했다. 그리고 자신은 탕셩즈(唐生智)가 장관부에서 소집한 긴급회의에 참가한 뒤 돌아오지 않았다. 때문에 이곳의 지휘는 온전히 꾸시엔융에게 맡겨졌다.

꾸시엔용은 성벽 난간 뒤에 엎드려 망원경으로 전방을 주시했다. 그런데 일본군의 포탄에 맞아 허물어진 성벽 근처에서 느닷없이 청개구리 같은 것이 한 무리의 일본군에게 뛰어오르는 모습이 보였다. 그것이 전차 세 대의 엄호를 받으며 중화먼을 향해 재빠르게 날아갔다.

꾸시엔용은 몸을 돌려 가까이 있는 포수를 불렀다. "저기 저 첫 번째 전차를 조준해서 매섭게 쏴라!" 포수는 재빠르게 거리를 조정한 뒤 전차를 향해 한 발씩 쏘기 시작했다.

일본군의 첫 번째 전차는 집중되는 포화를 피하려고 방향을 급하게 오른쪽으로 꺾었다. 하지만 해자(垓子)에 빠져 물속에 처박혀버린 전차는 이상한 소리를 낸 뒤 멈춰버렸다.

두 번째 전차의 조종사는 첫 번째 전차가 물속에 빠지는 광경을 보고 방향판을 꼭 잡고 해자 위의 다리를 겨냥해 쏘았다. 다리를 맞춰 성벽 아래로 무너뜨리면 중국군의 사격지대를 지날 수 있으리란 생각이었다. 세 번째 전차 역시 다리를 공격했다.

꾸시엔용은 전방으로 향하는 두 번째 전차를 가리키며 포수에게 명령했다. "전방으로 쏴라. 어서!" 포수는 포문을 약간 조절한 뒤 다리를 공격하는 전차의 앞을 조준했다. "쾅! 쾅!" 연달아 두 발의 포탄이 발사되었다.

대포 한 알이 전차의 엔진을 맞췄다. 전차가 잠시 멈칫하더니 큰 다리 입구의 대로변에 멈췄다. 세 번째 전차는 순식간에 앞의 전차와 충돌하여 거꾸로 곤두박질쳐진 뒤 연료가 새 활활 타기 시작했다.

전차 뒤에 숨어 있던 일본군은 큰 다리를 보고 뛰어가면 성벽을 오를 수 있겠다고 생각했다. 일본군은 불에 타서 멈춰버린 전차를 넘어 미친 듯이 뛰었다.

꾸시엔용은 달려오는 일본군을 보고 기관총을 든 병사들에게 침착하게 소리쳤다. "모두 다리 위를 향해 조준하라. 집중 공격해서 다리를 막아라!" 곧바로 "따따따!" 하는 기관총 소리와 "드르륵!" 하는 소총 소리가 뒤섞여 났다. 그 순간 다리 위로 총알이 비 오듯 쏟아졌다.

달려오던 일본군 한 무리가 쓰러지고 또 한 무리가 쓰러졌다. 후방에 있던 일본군은 감히 달려올 생각을 못하고 몸을 돌려 필사적으로 도망쳤다.

일본군의 첫 번째 공격은 이렇게 격퇴되었다. 그러나 일본군은 쉽게 단념하지 않고 두 번째 공격을 준비했다. 그들은 소형 대포를 쏴 88사단의 기관총 진지를 공격했고 다시 전차를 보내 필사적으로 장애물을 제거했다.

한편 일본군이 두 번째 공격을 시작할 때 즈음 노다 나오키와 그의 중대는 중화먼 근처의 빈틈을 찾아 한 명씩 몰래 성벽 위로 올라갔다.

일본군은 한쪽에서 "와와!" 하며 소리를 질렀고 다른 한쪽에서는 성 위의 중국 수비군을 향해 총을 쐈다. 이들은 왼쪽에서 중화먼 성루(城樓)로 곧장 달려왔다.

일본 병사가 성벽으로 올라와 급습하자 성문 위의 중국 수비군은 놀라서 허둥댔다. 진지가 불안해진 이때 마침 꾸시엔용이 도착해 병사들을 안심시켰다.

꾸시엔용이 살펴보니 성벽의 위아래에 일본군이 있었다. 양쪽에서 공격을 당하고 있었기에 반드시 서둘러 방어를 취하고 성벽 위에 올라온 일본 병사를 물리쳐야 했다. 상황을 파악한 그는 수비군에게 성루의 위에서 아래로 사격해 일본군의 전진을 막으라고 명령했다.

일본군을 진두에서 지휘를 맡고 있는 사람은 키가 크고 삐쩍 말랐다. 그가 지휘도를 휘두르면 뒤에서 일장기를 높이 든 부하들이 중국군의 공격에 목숨을 걸고 싸웠다.

그 키가 크고 삐쩍 마른 사람은 바로 노다 나오키였다. 그는 누구보다 먼저 난징을 공격해야 한다는 생각에 사로잡혀 사람의 목숨은 아랑곳하지 않았다. 심지어 자기 부하의 시체도 밟고 넘어서며 중대를 지휘했고 성문의 난간을 향해 나아갔다.

꾸시엔용은 일본군의 매서운 공격을 감당할 수 없을 것 같았다. 전세가 불리해짐을 느낀 그는 결국 성문의 난간에서 일본군을 저지하고 있던 수비 중대에 계속 수비를 하라고 명하고는 자신은 주력부대와 함께 퇴각해 버리고 말았다.

수비 중대는 꾸시엔용 참모장의 명령에 따라 필사적으로 일본군을 막았다. 일본군은 금세 성문의 난간까지 진격해 중국군과 한 데 뒤엉켰다. 양측 병사들은 주먹으로 때리고 발로 차며 서로 맞잡고 싸우기 시작했다.

뒤쪽에 있던 일본군도 속속 위로 올라왔다. 기관총이 중국군을 향해 발사되자 수많은 병사들이 쓰러졌다. 맞잡고 싸우던 일본인들은 광기가 더해져 으르렁거리는 짐승소리를 내며 총검으로 중국군의 가슴을 찔렀다.

이렇게 수비 중대는 성벽 위에서 희생되었다. 사방에 시체가 널브러졌고 곳곳에 선혈이 낭자했다. 그때 총에 맞아 중상을 입은 한 중국군이 노다 나오키가 지휘도를 흔드는 모습을 발견했다. 중국 병사는 숨을 죽인 채 움직이지 않고 노다 나오키를 주시했다. 그는 고통을 참고 살며시 곁에 있던 총을 들어 노다 나오키를 향해 방아쇠를 당겼다.

"탕!" 단발의 총성이 울렸다. 그러나 안타깝게도 총알은 노다 나오키의 귓가를 스쳤다. 노다 나오키는 총을 쏜 중국군을 발견하자 야수처럼 돌진해 칼을 휘둘렀다.

성벽 위의 수비 중대는 자신들의 피와 살로 일본군의 전진을 늦췄다. 이렇게 하여 주력부대가 퇴각하도록 엄호했으니 성공적으로 임무를 완성한 셈이다. 노다 나오키는 88사단을 추격하지 않고 성루에 올라 중국군의 붉은 피를 손가락에 묻혀 가장 오래된 기둥 위에 글귀를 써내려갔다. "12월 12일, 노다 나오키 중대가 점령하다."

그런 뒤 득의양양하게 곁에 있던 일장기를 쥐고 직접 성루 동쪽의 주황색 창문 틈에 끼웠다. 이미 떨어져 버린 창문이었지만 12월의 매서운 바람에 일장기는 무섭게 휘날렸다.

노다 나오키가 일장기 아래에서 우쭐거리고 있을 때 미야오카 토시오 중대가 이미 퇴각한 88사단을 추격한다는 소식이 들렸다. 노다 나오키도 곧바로 중대를 이끌고 성벽 옆 경사로를 따라 추격했다.

노다 나오키 중대가 추격한 지 얼마 지나지 않아 마쓰이 이와네(松井石根) 사령관으로부터 명령이 도착했다. 난징은 이미 사면이 포위되었고 중국군은 도망갔으니 시라토 미츠오미 연대와 함께 중화먼 성루에 집결해 숙영하며 명령을 기다리라는 내용이었다.

노다 나오키 중대는 다시 중화먼 성루로 돌아왔다. 성루를 공격할 때 그의 부하 13명이 전사했는데 당시 시체를 묻지 못했다. 노다 나오키는 병사들을 데리고 성벽 아래에 구덩이를 크게 파 13명의 전사자들을 남쪽을 향해 일렬로 눕혔다.

노다 나오키는 13명의 머리칼을 가위로 한 가닥씩 자르고 시체 위에 나뭇가지를 덮었다. 전 중대가 총을 들고 시체를 향해 경례를 한 뒤 불을 붙였다. 순간 불길이 활활 타올랐다. 군대를 따라온 승려가 염불을 외고 두 손을 모아 합장했다. 죽은 이들의 혼을 달래는 장례를 거행한 것이다.

그날 밤, 노다 나오키 중대는 야간 경비를 맡아 성벽 위에서 야영을 했다. 전쟁 중에 말은 안장을 벗기면 안 되고 사람도 옷을 벗으면 안 된다고 했다. 혹시 모를 야간 습격을 대비하기 위해서다. 1937년 12월 12일 밤, 일본군은 아직 난징에 입성하지 않았지만 난징은 이미 그들의 차지가 되어버렸다.

난징에 잘 훈련된 중국군은 더 이상 남아 있지 않았다. 전쟁에서 패한 병사들은 뿔뿔이 흩어져 음지로 숨어들었다. 난징은 마치 무덤과 같은 어둠 속으로 빠졌다.

13일 새벽, 시라토 미츠오미 연대는 중화먼 성루에서 내려와 명령에 따랐다. 앞에는 카야 헤이타로 대대가 걸었고 가장 앞에는 미야오카 토시오와 노다 나오키 두 중대가 섰다. 두 중대장은 수시로 서로를 바라보며 교만한 야수 같은 미소를 지었다.

중국군은 어디로 갔을까? 미야오카 토시오는 출발 전 마쓰이 이와네 사령관이 전달한 명령이 떠올랐다. 난징의 중국군과 일본에 대항하는 폭도들을 깡그리 죽이라는 것 말이다. 그는 칼을 칼집에서 뽑아 손에 꽉 쥐었다. 그러나 중국인은 한 명도 보이지 않았다.

그 순간 사악한 생각이 미야오카 토시오의 머릿속에 떠올랐다. 그는 노다 나오키에게 싸움을 걸고 싶었다. 결국 이 두 야수는 기가 막히게 말도 안 되는 시합을 벌였다. 바로 '중국인 죽이기' 시합을 한 것이다. 그것도 총이 아닌 칼로 말이다. 중국인 100명을 죽인 뒤 쯔진 산(紫金山) 최고봉에 먼저 오르는 자가 승리하는 시합이었다.

"좋소. 그러면 부대를 주둔시키고 시작합시다! 쯔진 산 최고봉에서 기다릴 테니 꼭 오시오!" 노다 나오키가 즉시 응했다. 두 사람은 약속을 하듯 피비린내 나는 두 손을 꽉 쥐었다.

第6사단은 원래 국민당 헌병사령부가 있던 공위엔지에(貢院街)에 주둔했고 시라토 미츠오미 연대는 위잉(育英)중학교에 주둔했다. 진지 배치를 마치자 병사들은 소리를 지르며 큰길로 몰려나왔다. 그 모습은 마치 꼭 철창에 가둔 야수들을 막 풀어놓은 것만 같았다.

2400여 년의 역사를 가진 문명의 고성(古城) 난징은 야만인들의 포획물이 되어 조용히 모습을 드러냈다. 난징은 가차없는 학살과 모욕을 당해 곳곳이 불탔고 사방에서는 살려달라고 외치는 비명소리가 들렸다. 도처에 붉은 피가 흘렀다.

가장 잔인하게 중국인을 학살한 자는 미야오카 토시오였다. 위잉중학교에서 나와 멀지 않은 곳에 이르자 한 중년의 중국 남성이 보였다. 미야오카 토시오는 피에 굶주린 호랑이처럼 그 중국 남성을 향해 빠르게 뛰어갔다. 파란빛이 번뜩이는 지휘도를 쥐고 뒤통수를 가르니 순식간에 몸이 반으로 나뉘고 새빨간 피가 사방으로 튀었다.

그는 아무렇지 않게 피가 뚝뚝 떨어지는 칼을 들고 걸었다. 신속하게 행동한 자신이 매우 만족스러웠다. 그는 계속 길을 따라 앞으로 전진했다. 몇 걸음을 떼자마자 눈앞에 보라색 물체가 스쳐 갔다. 자세히 살펴보니 보라색 치파오(旗袍)를 입은 젊은 여성이었다.

그는 기쁨을 감추지 못하고 소리쳤다. "오, 거기 예쁜 아가씨!" 그리고는 마치 독수리가 병아리를 낚아채 가듯 갑자기 달려들어 젊은 여성을 위협했다.

이 젊은 여성은 위잉중학교의 교사였다. 그녀는 일본군이 학교에 주둔하자 뒷문으로 몰래 빠져나가려다 불행히도 미야오카 토시오에게 발각된 것이다. 미야오카 토시오는 그녀를 잡고 즐거워하며 지휘도를 휘둘렀다. 길가의 상점 문을 발로 차고 그녀를 그 안으로 떠밀었다.

거리에 흩어져 있던 일본군은 미야오카 토시오가 젊은 여성을 상점으로 밀어 넣는 모습을 보고 그가 무슨 일을 하려는지 알았다. 미야오카 토시오가 상점에서 더러운 욕구를 만족시키기를 기다렸다가 일곱, 여덟 명의 일본군이 차례로 한 명씩 들어갔다. 안에서는 여교사의 애절한 고함소리가 끊이지 않았다.

미야오카 토시오는 지휘도를 쥐고 다시 앞으로 걸었다. 그는 한 식품점 문이 반쯤 열린 것을 발견했다. 문틈 사이로 누군가 고개를 내밀고 바깥을 잠시 살피더니 "꽝!" 하고 닫아버렸다. 미야오카 토시오는 달려가 문을 발로 찼다. 식품점에는 50세 정도 되어 보이는 남자가 서 있었다.

가게 주인인 듯 보이는 그는 미야오카 토시오가 표독스러운 표정으로 들어오자 놀라서 입을 다물지 못했다. 마야오카 토시오는 남자가 입을 열기도 전에 정면에서 칼로 베어버렸다.

갑자기 안에서 분노에 가득 찬 고함소리가 들렸다. 중년 여성이 뛰쳐나오더니 나무 방망이를 하나 쥐고 미야오카 토시오의 얼굴을 향해 휘둘렀다. 미야오카 토시오는 미처 피하지 못하고 방망이에 어깨를 맞았다.

미야오카 토시오는 크게 고함을 지르며 한쪽으로 피했다. 힘껏 그녀를 막아선 뒤 단칼에 베어버렸다. 여자는 고함을 지를 틈도 없이 곧바로 피바다 속에 쓰러졌다. 미야오카 토시오는 흉악한 이빨을 드러내며 한바탕 웃었다. 그리고는 피가 가득 묻은 지휘도를 여자 몸에 문질러 닦고 아무 일도 없었다는 듯 홀연히 나갔다.

길가로 나와 보니 멀리서 한 병사가 미친 듯이 도망가는 아이를 향해 총을 겨누고 있었다. 총소리가 울리자 아이가 쓰러졌다. 미야오카 토시오가 크게 소리쳤다. "잘 맞혔다!" 겉으로는 이렇게 칭찬했지만 속마음은 달랐다. '총으로 죽이는 게 무슨 큰 대수라고? 칼로 죽여야 진짜 실력이지!'

미야오카 토시오가 고래를 돌려보니 길가에 일본군이 삼삼오오 모여 있었다. 일본군은 곳곳마다 불을 지르고 사람을 죽였으며 죽일 대상을 찾지 못하면 다른 곳으로 이동했다. 미야오카 토시오는 자신이 죽인 사람의 수를 세어보았다. 노다 나오키 앞에 백 명의 시체를 보여주고 쯔진 산에 가야겠다고 생각했다.

이때 노다 나오키는 난징의 번화가인 타이핑루(太平路) 일대에서 중국인을 죽이고 있었다. 그의 앞에 예순이 넘은 노인이 칼을 손에 쥐고 몸을 돌려 달리고 있었다. 노다 나오키는 크게 소리 지르며 따라잡았다. "어딜 도망가? 거기 서라!"

이 노인은 72군의 참모처장 쉬러핑(徐樂平)의 부친이었다. 중화먼이 함락된 뒤 72군은 행방불명되었고 쉬러핑도 집에 돌아오지 않았다. 그의 부친은 불안한 마음에 밖에 나와 상황을 물어보려 했는데 운이 나쁘게도 이 살인마와 마주치고 만 것이다. 노인은 더 이상 도망갈 수 없게 되자 몸을 돌려 섰다.

노다 나오키가 독살스러운 표정으로 다가왔다. 두 손에 칼자루를 꼭 쥐고 노인의 머리를 힘껏 내리쳤다. 노인은 강직한 성격을 가진 의사로 수술용 칼을 들고 수많은 생명을 구한 사람이었다. 그런데 이제 공교롭게도 일본군의 칼이 그의 생명을 앗아가려 하고 있다. 다행히 노인은 재빠르게 몸을 피했고 노다 나오키는 그만 허탕을 치고 말았다.

노다 나오키가 다시 몸을 돌려 칼을 들고 노인을 향해 내리쳤다. 노인도 재빨리 방어준비를 하고 몸을 옆으로 기울여 칼자루를 쥐고 있는 노다 나오키의 두 손을 힘껏 비틀었다. "땡그랑!" 하는 소리와 함께 칼이 땅에 떨어졌다.

노다 나오키는 화가 나 "아악!" 하며 고함을 내질렀다. 곧이어 노인에게 달려들어 밀쳐 넘어트리고 두 손으로 목을 조르기 시작했다. 노인은 젊었을 때 무술을 연마한 터라 그대로 당하지 않고 바닥에 누워 두 발을 들어 있는 힘을 다해 노다 나오키를 밀쳤다.

노다 나오키는 발길질을 정면으로 맞아 통증이 컸다. 그는 고통 때문에 순간 일어나지 못하다 금방 정신을 차리고 권총을 빼서 도망가는 노인의 등을 향해 겨누었다. "탕!" 소리와 함께 노인이 바닥에 쓰러졌고 검붉은 피가 땅 위로 흘렀다.

이때 근처에서 숨어 있던 천진난만한 아이가 있었다. 대략 너덧 살 정도 되어 보이는 아이가 "으앙" 하며 엎드린 노인의 시체로 뛰어와 대성통곡했다. "할아버지! 할아버지!" 아이는 바로 할아버지와 함께 아버지를 찾으러 나온 쉬러펑의 아들이었다.

노다 나오키는 아랫배에 진통을 느끼며 일어나 바닥에 떨어진 칼을 주웠다. 그리고 표독스럽게 칼을 들어 아이의 등을 단칼에 내리그었다.

마침 쉬러핑의 아내가 시아버지와 아들이 걱정되어 따라 나오던 차에 노다 나오키가 아들을 죽이는 광경을 눈앞에서 목격했다. 그녀는 미친 사람처럼 뛰어가 노다 나오키를 부여잡고 욕을 퍼부었다. "이 나쁜 놈아! 그 많은 사람들을 죽이더니 이제는 내 아들까지 죽이다니! 천벌을 받을 놈!"

노다 나오키는 뜻밖에 젊은 여자를 발견하자 사악하게 웃으며 말했다. “헤헤, 예쁜 아가씨!” 그는 쉬러핑 아내의 옷깃을 낚아채고 가까운 집 대문으로 끌었다.

그녀는 벗어나려 했지만 어떻게 해도 벗어날 수 없었다. 주먹으로 노다 나오키를 있는 힘껏 계속 쳤지만 그래도 그의 손아귀에서 벗어나지 못했다. 노다 나오키는 쉬러펑의 아내를 힘껏 대문으로 떠밀었다.

그녀는 이 짐승이 손에 쥐고 있는 피 묻은 칼이 무섭지 않았다. 그녀는 노다 나오키의 왼손을 깨물었다. 노다 나오키가 "으악!" 하고 고함을 지르며 칼을 놓자 쉬러핑의 아내는 풀려났다.

그녀는 재빨리 뒤로 도망갔다. 그러나 노다 나오키가 곧바로 뒤쫓아 그녀의 왼손을 잡아챘다. 그는 그녀 앞으로 다가가 간악하게 웃고는 말했다. "헤헤, 어딜 도망가려는 거야!"

쉬러핑의 아내는 그 음흉하게 웃는 얼굴을 향해 냅다 주먹을 한 대 날렸다. 노다 나오키는 부끄럽고 분한 나머지 그녀를 들고 제압하려 했지만 쉬러핑의 아내가 손으로 밀고 발로 차는 통에 가까이 갈 수 없었다.

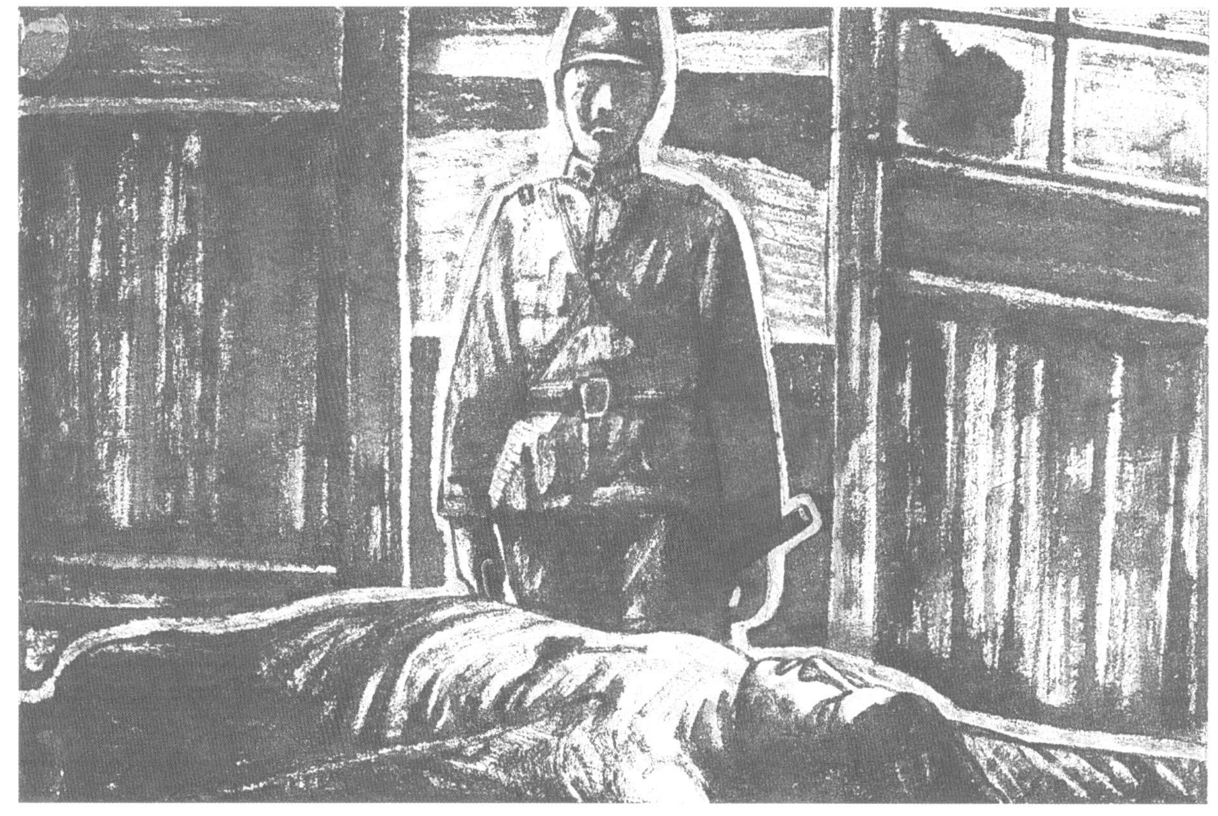

노다 나오키는 화가 나 총을 꺼내 들고 쉬러핑 아내의 가슴에 탕하고 한 발을 쏘았다. 이 짐승은 만족하지 않고 쉬러핑 아내의 위로 올라가 옷섶을 풀어헤쳤다.

노다 나오키는 사악한 욕심을 채우고 그녀의 윗도리를 벗겨 칼에 묻은 피를 닦고 만족스럽다는 듯 깔깔대며 웃었다.

노다 나오키는 다시 거리를 걸었다. 그는 정말 귀신같은 모습이었다. 양공징(楊公井)이란 골목에 머리를 반만 내밀고 사람이 지나가길 기다렸다. 약 십 분쯤 지나자 허리가 굽고 목도리를 두른 노부인이 길을 살피며 걸어왔다.

노다 나오키가 갑자기 튀어나와 “와!” 하고 소리치며 그 노부인에게 칼을 휘둘렀다. 노부인의 가슴을 가르자 젊은 여인의 풍만한 가슴이 드러났다. 그녀는 젊은 여성이었던 것이다. 일본군이 남녀노소를 막론하고 죽인다는 사실을 알지 못하고 노인변장을 하고 나왔는데 노다 나오키에게 걸린 것이다. 그녀는 비록 죽임을 당했지만 불행 중 다행이라고 해야 할까. 노다 나오키에게 겁탈당하는 치욕은 면할 수 있었다.

노다 나오키가 숨은 뒷골목에는 이제 더 이상 사람이 다니지 않았다. 그는 근처의 한 부잣집 문을 열고 사방을 살펴봤지만 한 사람도 발견하지 못했다. 이 집 사람들은 급하게 떠났는지 수많은 보석을 남겨놓았다. 노다 나오키는 주머니를 가득 채운 뒤 부잣집을 불태웠다.

노다 나오키는 골목마다 중국인을 찾았고 속으로는 이미 죽인 사람의 수를 계산했다. 그는 계속 중국인을 죽이면서 걸어 자신도 모르는 새 쯔진 산에 도착했다. 그가 죽인 사람은 이미 백 명이 되었다.

노다 나오키는 단숨에 베이가오펑(北高峰)에 올랐다. 미야오카 토시오는 아직 도착하지 않았다. 그는 멀리 사방을 바라보았다. 시아관과 푸커우(浦口)의 강가에 일장기를 단 군함이 순항하고 있었고 수시로 대포소리가 들려왔다. 대일본 해군이 이미 난징에 도착해 전투를 돕고 있었다. 그는 온몸에 기운이 더해진 느낌이 들었다.

노다 나오키는 망원경을 꺼내 더 먼 곳을 바라보았다. 전차와 대포, 그리고 알 수 없는 시체들이 쌓여 구로우(鼓樓)를 가득 채웠다. 구로우에는 한 부대가 행진을 하고 있었다. 중간 행렬은 무장하지 않았고 양쪽에만 총을 든 일본군이었다. 그는 속으로 중간 행렬은 사로잡힌 포로임을 직감했다.

산 아래의 쉬안우후(玄武湖)가 그의 눈앞에 들어왔다. 일찍이 도쿄에 있을 때 그는 아름다운 쉬안우후에 대해 들어본 적이 있었다. 그러나 지금은 잡초가 무성히 나 있고 호수는 빛깔을 잃어 처량한 느낌이었다. 노다 나오키가 이렇게 사방을 둘러보고 있을 때 미야오카 토시오가 붉은 피가 뚝뚝 떨어지는 칼을 들고 나타났다.

파시즘(fascism) 사상으로 점철된 두 도살자가 만났다. 그들의 시합은 승부를 가를 수 없었다. 노다 나오키가 먼저 도착하긴 했지만 미야오카 토시오가 다섯 명을 더 죽였기 때문이다. 두 사람은 배부른 이리처럼 기뻐서 어쩔 줄 모르며 미친 듯이 웃었다.

두 사람은 난징의 가장 높은 곳에서 동쪽으로 절을 했다. 천황폐하를 향해 중국인을 죽인 공적을 보고한 것이다. 또 각자 사람을 베느라 망가진 칼을 흙에다 묻고 마치 무슨 의식이라도 치르는 듯 경건하게 '살인보검(寶刀)'에 절을 올렸다.

그런 뒤 두 사람은 또 미친 듯이 웃으며 난징 시내를 향해 뛰어갔다. 그 와중에도 그들의 잔인하고 흉악한 시합은 계속되었다.

두 사람이 온몸에 피를 묻히고 의기양양하게 연대에 돌아오자 사람들은 여러 가지 의견을 냈다. 어떤 사람은 두 사람이 용감하다고 칭찬했고 또 어떤 사람은 부럽다고 했다. 또 다른 사람은 한꺼번에 수천 명의 중국인을 죽이는 데 두 사람이 사용한 방법은 매우 어리석었다고 말하는 이도 있었다.

연대장인 시라토 미츠오미는 두 사람이 매우 기특했다. “마쓰이 이와네 사령관께서 중국군과 일본에 대항하는 폭도는 죽여 마땅하다고 말씀하셨다. 이렇게 대일본군의 위엄을 세웠으니 고생이 많았다. 이제 어서 가서 휴식을 취하라. 내일은 또 내일의 임무가 있다.”

다음 날, 아침을 먹은 뒤 카야 헤이타로 대대장은 미야오카 토시오와 노다 나오키를 자신의 중대로 불렀다. 대대장의 부름을 받은 두 사람은 오늘의 새로운 임무가 바로 중국군 포로를 집단 총살하는 일임을 알게 되었다. 두 사람은 눈빛을 한 번 교환한 뒤 알았다는 듯 의미심장한 미소를 지었다.

일본군 두 중대는 모초우후(莫愁湖) 공원으로 향했다. 그곳에는 3천여 명의 중국군이 포로로 잡혀있었다. 그러나 이들은 사실 중국의 병사가 아니라 난징 남쪽에 숨어 있다가 군수용품을 가졌다는 이유로 잡혀 온 민간인이었다.

카야 헤이타로가 두 중대를 이끌고 서둘러 도착했을 때 일본군은 포로 50명을 한 줄로 묶어 세운 뒤 총살 명령을 실행하려고 했다. 포로에게는 다른 곳으로 이동한다고 거짓말을 했다.

카야 헤이타로가 도착하자 바로 행렬이 출발했다. 미야오카 토시오가 이끄는 소대가 앞장을 섰고 양쪽에는 총을 든 일본군이 섰다. 뒤에는 노다 나오키와 그의 중대가, 맨 뒤에는 커다란 말을 타고 위엄을 과시하는 카야 헤이타로가 호송했다. 중간에는 몹시 지쳐 보이는 포로들이 걸어갔다.

그들은 친화이허(秦淮河) 위의 다리를 지나 한중먼(漢中門) 밖 성벽을 따라 걸었다. 이곳은 인적이 드문 황량한 곳으로 참새들만이 먹이를 찾느라 날아들었다.

미야오카 토시오는 부대를 이끌고 시루차이창(西蘆柴廠) 근처로 갔다. 그러다 갑자기 멈춰 서서 포로들을 팔로군(八路軍)이라 부르며 성벽에 바짝 붙이고 움직이지 못하게 했다.

포로들은 어째서 자신들이 이동했고 또 왜 여기서 멈춰 섰는지 생각할 겨를조차 없었다. 노다 나오키는 이미 사람을 보내 친화이허 근처에 자동 소총을 배치했고 카야 헤이타로가 "발사!"라고 크게 외치자 열 대의 총이 동시에 발사되었다. 묶여있던 포로들은 줄줄이 쓰러졌다.

미야오카 토시오와 노다 나오키는 양쪽으로 나눠 확인하기 시작했다. 팔이나 다리를 움직이면 다시 총을 쏘았다. 눈 깜짝할 사이 3천여 명이 모두 움직이지 않게 되었다. 새빨간 피가 잡초를 물들였고 친화이허까지 흘러 수면 위에 뜬 조각난 얼음까지 모두 붉게 물들었다.

카야 헤이타로는 도살의 흔적을 숨기기 위해 시체 위에 기름을 부어 태웠다. 아직 숨이 붙어있던 포로들은 불 속에서 괴로움에 소리를 질렀다. 기름을 붓던 일본군도 벌벌 떨었을 정도였다.

시체들이 모두 타기도 전에 카야 헤이타로는 이 전대비문의 참상을 아무도 보지 못하게 미야오카 토시오 중대를 남겨 두고 지키게 했다. 그리고 자신은 노다 나오키 중대와 함께 서둘러 떠났다. 또 새로운 도살 임무를 완성하기 위해 출발한 것이다.

이번 임무는 다니 히사오 사단장이 내렸다. 그는 화치아오(華僑) 초대소에 있던 5천여 명의 난민들이 집을 떠나 한데 모여 있으니 모두 죽여 마땅하다고 생각했다. 이에 카야 헤이타로는 노다 나오키 중대를 이끌고 화차이오 초대소로 향했다. 그리고 마찬가지로 5천여 명의 난민의 두 손을 모두 묶었다.

카야 헤이타로는 이들을 중산(中山) 부두로 압송하라고 명령했다. 사실 이들은 군인이 아닌 무고한 난민들이었다. 때문에 대형을 이루지 못하고 미루적거리다 앞으로 압송되었다.

이장먼을 나오자 난민 무리 가운데서 누군가 말했다. "빨리 강을 건너라고 재촉할까 걱정이네." 모두가 그 즉시 발걸음을 재촉하며 재난이 가득한 난징을 무사히 떠나길 바랐다.

그런데 이들이 모두 부두에 도착해보니 탈만 한 배가 한 척도 보이지 않았다. 강 위에는 뒤집힌 나무배와 무수히 많은 시체만 떠다닐 뿐이었다. 노다 나오키는 포로들을 양쯔 강(陽子江) 을 마주 보게 일렬로 세운 뒤 돌아보지 못하게 했다.

사람들은 여전히 환상에 빠져 멍하니 북쪽을 바라보며 어서 빨리 배가 오길 바랐다. 그런데 이때 뒤에서 "따따따!" 하는 기관총 소리가 들렸다. 앞에 서 있던 사람들은 강 속에 빠지고 뒤에 섰던 사람들은 부두에 쓰러졌다.

총알이 한바탕 훑고 지나자 끝이 났다. 죽었든 살았든 카야 헤이타로는 포로들을 모조리 강 속으로 빠트렸다. 부둣가의 강물은 순식간에 시체로 가득 메워졌고 금빛 나란한 강물 위로 군데군데 핏물이 퍼져 흘렀다. 아무런 무기도 지니지 않았던 5천여 명의 난민들은 이렇게 참혹히 살해되었다.

먼지가 자욱이 낀 하늘 아래 매서운 바람이 불었다. 강물도 세차게 흘렀다. 시아관의 강에는 또 한 번 핏빛의 강물이 흘렀다. 일본이 파시즘 폭행을 저질렀다는 증거였다.

카야 헤이타로는 노다 나오키 중대를 이끌고 위잉중학교로 돌아왔다. 날은 이미 저물었다. 카야 헤이타로 오늘 자신이 세운 공적에 매우 만족하여 대회의장으로 모든 사병들을 불러 술을 마시며 축하했다. 모두가 흥분해서 중국인을 죽인 공적에 대해 이야기했다. 붉은 눈빛을 하고 붉은 술을 마시는 일본군의 모습은 마치 피를 좋아하는 야수와 다를 바 없었다.

바로 이때 시라토 미츠오미 연대장이 달갑지 않은 소식을 가지고 왔다. 우시지마 사다오(牛島貞雄) 사단이 한꺼번에 57,400여 명의 중국인을 죽였다는 것이다. 이들은 지금까지 자기들이 가장 많은 중국인을 죽였다고 생각하던 차였다.

상황을 들어보니 우시지마 사다오 사단은 난징에서 도망간 5천여 명의 민간인을 중앙먼 교외 마을에서 계속 붙잡았다. 마쓰이 이와네 사령관은 도망간 중국인을 매우 싫어해 우시지마 사다오 사단장에게 비밀리에 이들을 모두 총살하라는 명령을 내렸다.

지금까지 술을 마시며 축하하던 병사들은 순식간에 다시 흉악한 야수로 변해 미친 듯이 울부짖었다. 이 임무는 마땅히 제6사단에 내렸어야 했다. 그들이 난징을 가장 먼저 들어간 부대이기 때문이다.

시라토 미츠오미는 기뻤다. 부하들을 도발하는 데 성공했기 때문이다. 그는 빗발치는 항의 속에서 큰소리로 외쳤다.
"소란스럽게 굴지 마라! 중국인이 더 많은 곳이 아직 한 군데 남았다. 바로 서양인 만든 무슨 국제구조위원회의 난민구역이란 곳이다. 그곳에 20만 명이 넘는 중국인이 있다. 난 그곳에 숨어 있는 중국인이 모두 난민뿐이라고 생각지 않는다!"

누군가가 물었다. "난민구역은 국제구조위원회 소관인데 괜찮겠습니까?" 시라토 미츠오미는 허리에 찬 권총을 치며 크게 외쳤다. "사단장께서 일전에 말씀하셨다. 단 한 명의 중국군도 남기지 말고 모조리 죽여 버리라고 말이다. 대일본군이 점령지역을 샅샅이 뒤지는데 누가 가로막을 것인가?!"

널찍한 대회의장 안에 울부짖는 야수의 함성소리가 가득 찼다. 시라토 미츠오미는 현장에서 명령을 내렸다. "카야 헤이타로 대대장은 내일 직접 노다 나오키와 미야오카 토시오 중대를 데리고 그곳의 서양인들과 교전을 벌일 것이다."

국제구조위원회는 안전구역으로 난징 사람들은 그곳을 피난처라고 불렀다. 일본군이 난징으로 진격할 때 난징에 남아 있던 서양인을 위해 조직한 기구로 탕셩즈 수도경비사령부의 승인을 받아 설립되었다. 이곳은 신지에커우(新街口)에서 산시루(山西路)까지 상징적으로 철조망을 둘러 도망가지 못한 20만 명이 넘는 난징 난민을 수용하고 있었다.

그러나 안전구역은 더 이상 안전하지 않았다. 며칠 동안 일본군이 삼삼오오 짝지어 들어와 부녀자들을 강간하고 재물을 빼앗아 갔다. 이를 막기 위해 국제구조위원회 주석과 독일인 존 라베(John Rabe)와 비서, 미국인 스미스(Smith)는 화중(華中)에 가서 군사령부와 교섭했지만 아무런 결과가 없었다. 그들은 그저 걱정으로 발만 동동 굴릴 뿐이었다.

그런데 갑자기 바깥에서 고함소리가 들려왔다. "안전구역이 포위되었다!" 사람들이 어쩔 줄 몰라 하며 우왕좌왕했다. 대문 입구에서는 외국인 직원과 일본군이 싸우는 소리가 들렸다. 일본군은 안으로 들어와 중국군을 찾겠다고 했고 외국인 직원은 이를 막는 중이었다.

라베와 스미스가 유리창으로 내다보니 일본군 장교가 권총을 휘두르며 사람들을 위협하고 있었다. "다시 한 번 우리를 막으면 총을 쏘겠다!" 그는 바로 미야오카 토시오였다. 스미스는 곧장 밖으로 나왔다.

스미스는 서둘러 대문으로 나왔다. 대문에는 하얀 바탕에 붉은 '십(十)'자가 그려진 깃발이 꽂혀있었다. 그는 카야 헤이타로의 견장을 보고 그가 고위 장교임을 단번에 알아보았다. "이곳은 난민이 머물고 있습니다." 카야 헤이타로가 차갑게 말했다. "우린 그저 중국군을 찾으러 온 것이니 난민은 해치지 않소."

스미스는 카야 헤이타로 뒤에 서 있는 백 명의 일본 병사를 보았다. 철조망 주위도 이미 일본군이 경비를 배치하여 막을 방법이 없었다. “대장님 말씀을 믿어도 되겠습니까?” 카야 헤이타로가 교만하게 답했다. “대일본 황군의 말은 반드시 지킨다.”

스미스는 모두에게 길을 비키게 하고 화를 누르며 낮은 목소리로 말했다. "꼭 찾아보셔야 한다면 들어오십시오." 국제구조위원회는 진링(金陵)대학에 설치했기에 대다수 난민이 학교 안 기숙사와 강의실에 머물고 있었다.

카야 헤이타로는 국제구조위원회 사무실에 앉았다. 문밖에 기관총을 설치하고 입구에도 경호를 세웠다. 그는 미야오카 토시오와 노다 나오키의 병사들에게 난민 가운데 숨어 있는 중국군을 찾아오라 명령했다.

중국군 수색이 시작됐다. 사실 처음부터 수색이 아니었다. 일본군은 난민 중 건장해 보이는 중년 혹은 청년 남성을 축구장으로 끌고 갔다.

스미스는 미야오카 토시오에게 항의했다. 모든 사람은 등록카드가 있으니 중국군이 아니라고 말이다. 미야오카 토시오가 눈을 부릅떴다. "당신의 그 카드가 무슨 소용이오? 난 일반 사병에서 시작해 중대장까지 올라온 사람이오. 설마 군인과 난민도 구분하지 못하겠소?"

미야오카 토시오는 소위 '수색'을 이어갔다. 일가족이 머무는 3호실에 도착해 차례대로 노부인에게 먼저 물었다. 노부인은 자신이 장씨(張氏) 집안에 시집온 왕씨(王氏)이며 어려서는 샤오산쯔(小三子)라고 불렸다고 말했다. 미야오카 토시오는 웃음을 참으며 뒤에 서 있는 중년 여성에게 물었다. "당신은?" "저는 장위에어(張月娥)예요."

중년 여성의 목소리가 매우 아름다웠다. 미야오카 토시오는 자기도 모르게 잠시 자세히 살펴보았다. 동그란 얼굴에 커다란 눈이 사랑스러웠다. 단지 얼굴색이 노쇠해 보이는 게 마치 시든 꽃 같았다. 이런 생각에 빠져 있을 때 뒤에 서 있던 소녀가 자동적으로 이름을 말했다. "제 이름은 장시우어(張秀娥)예요."

그 목소리를 들은 미야오카 토시오는 정신이 번쩍 들었다. 그는 곧바로 이 장씨 집안의 여성들을 지나쳐 갔다. 장씨 집안의 마지막 구성원은 중년 남자였다. 그는 어딘가 아픈 것처럼 한걸음 한걸음 힘겹게 발걸음을 떼서 걸었다.

“꾀병부리지 말고 걸어봐!” 미야오카 토시오가 손을 흔들며 소리쳤다. 남자의 걷는 속도가 한층 더 느려졌고 입에선 가느다란 신음소리가 흘러나왔다. 미야오카 토시오는 위아래로 훑어보았다. 남자는 검은색 솜저고리와 솜바지를 입고 방한모를 썼으며 허리가 굽었다. 광대뼈가 높이 솟아 있고 큰 입은 약간 벌리고 있어 숨 쉬는 것조차 힘겨워 보였다.

장위에어가 그 광경을 보고 민첩하게 걸어 나와 그를 부축했다. 미야오카 토시오는 그를 가만히 주시하다 갑자기 크게 외쳤다. "당신은…… 중앙군?" 그가 쓴웃음을 지으며 힘없이 말했다. "나 같은 사람을 중앙군이 필요로 하겠습니까? 나으리!"

미야오카 토시오는 남자가 조금도 당황하지 않고 얼굴에 병색이 완연하며 또 '나으리'라 부르는 말을 듣고는 의심이 조금씩 사그라들었다. 그러나 또 완전히 믿지는 못하겠기에 돌연 얼굴을 돌려 소녀에게 물었다. "이 자가 너랑 어떤 관계냐?"

소녀가 즉시 대답했다. "제 의붓오빠예요." "의붓오빠?" 노부인이 앞으로 나와 설명했다. "어려서 부모가 죽어 고아가 되었는데 제가 아들이 없어 데리고 와 키운 겁니다."

미야오카 토시오는 옆의 장위에어를 보았다. 아마도 두 사람은 부부인 듯했다. "당신들은 부부인가?" 장위에어가 그렇다고 하면서 덧붙였다. "나으리, 이 사람은 폐병을 앓고 있어요. 옮길지도 모르니 물어볼 말이 있으시면 빨리 물어보세요." 미야오카 토시오는 자신의 추측이 맞았음에 만족했다. 또 폐병이란 말에 전염될까 두려워 그들에게 빨리 가라고 했다.

장위에어는 남자를 부축하면서 천천히 걸었다. 사실 이 남자는 72군 군단장이자 88사단의 사단장인 쑨위안량이었다. 그는 탈출회의에 참가한 뒤부터 줄곧 진지로 돌아가지 못하고 친화이허에서 자주 찾던 기녀 장위에어 집에 숨어 지냈다. 지금 다행히 일본군에게 정체가 발각되지 않고 도망가게 된 것이다.

일본군의 수색은 오후까지 이어졌다. 축구장으로 끌려간 청년과 중년의 난민들은 이미 축구장을 가득 메웠다. 이때 일본군 두 중대가 축구장에 도착했다. 라베와 스미스도 카야 헤이타로를 따라 축구장으로 나왔다. 카야 헤이타로는 그곳에서 서서 매우 흡족해하고 있었다.

스미스는 카야 헤이타로에게 다시 한 번 조사해보라고 요청했다. 그는 여기 모인 사람들이 모두 난민임을 보장한다고 전력을 다해 주장했다. 그러나 카야 헤이타로는 스미스의 말을 전혀 듣지 않고 차갑게 말했다. "난 내 중대장을 믿소. 다시 조사해볼 필요 없이 이들을 모두 데려갈 것이오!"

라베는 희망을 버리지 않았다. "대대장님, 다시 한 번 자세히 살펴봐 주십시오. 설령 이 중에 중국군이 있다 해도 국제관례상 인도주의에 따라 대해야 합니다." 카야 헤이타로가 음흉하게 웃었다. "안심하시오. 우리도 이들을 어떻게 대해야 하는지 잘 알고 있소."

축구장에 서 있던 난민 가운데 누군가 두 사람의 이야기를 통역한 말을 듣고 크게 항변했다. “우리는 난민이지 군인이 아니오!” 그 즉시 모두가 일본군이 잡으려는 사람이 군인이란 사실을 알게 되었고 이에 연이어 소리쳤다. “우리는 난민입니다!”

라베는 다시 한 번 카야 헤이타로에게 요청했다. "대대장님, 난민들의 호소를 들어보십시오! 전쟁 때 난민 없는 나라는 없습니다. 난민은 무고한 민간인으로 마땅히 보호받아야 합니다. 이건 국제적인 도의(道義)이니 모든 국가가 존중해야 합니다!"

"대일본 황군은 적을 존중할 수 없소!" 카야 헤이타로가 기세등등하게 말했다. "난민이 적은 아니지 않습니까?" 라베도 물러서지 않았다. 그는 평생 이처럼 야만적인 군대와 장교를 본 적이 없었다. "이치가 그렇지 않습니까!"

카야 헤이타로는 할 말이 없었다. 수치심은 이내 분노로 변해 낯빛이 어두워졌다. "당신과 토론할 시간이 없소!" 이 말을 내뱉고는 고개를 돌려 난민들을 전부 데려가라고 명령했다. 그는 애초부터 국제구조위원회는 안중에도 없었다. 일본의 파시즘 사전에는 '인도주의'나 '도의'라는 말은 없었던 것이다.

난민들은 동요했다. 누군가 계속해서 고함을 질렀다. "우리는 난민입니다! 우리는 가지 않겠습니다!" 노다 나오키는 무기도 없는 난민이 이렇게 말을 듣지 않으리라고는 예상하지 못했다. 그는 칼을 빼서 고함을 지른 중년 남자를 향해 내리쳤다.

이어서 미야오카 토시오도 문기둥을 잡고 버티는 사람들을 향해 총을 쏘았다. 마침내 일본군은 소총을 겨누어 난민을 끌고 갔다.

일본군은 난민들을 다시 시아관 부두로 끌고 가 양쯔 강을 향해 세웠다. 강가에는 작은 길이 두 갈래로 나 있었는데 카야 헤이타로는 병사를 보내 아무도 부두 근처로 오지 못하게 했다.

일본군은 전처럼 기관총을 쏘아 한 줄씩 난민을 쓰러트렸다. 난민들 사이에서 누군가 "일본 놈들을 타도하자! 중국 만세!" 하고 외쳤다. 그 소리가 크진 않았지만 양쯔 강의 상공에 우렁차게 메아리쳤다.

만 명이 넘는 난민들이 강 속에 빠졌고 부두와 배에는 핏자국이 흥건했다. 붉은 강물 위에 수를 헤아릴 수 없이 많은 시체가 떠올랐고 파도의 기복에 따라 멀리 떠나갔다. 수많은 시체가 강물을 메워 양쪽 해안이 서로 이어졌다. 삽시간에 양쯔 강이 사라진 것 같았다.

사방에서 불길이 치솟으면서 매캐한 연기가 도시를 가득 채웠다. 육조(六朝)시대의 고도 난징은 인간 지옥으로 변해버렸다. 스산한 바람이 불었고 귀신이 나올 것처럼 음산한 기운이 돌았다. 난징은 비분(悲憤)과 원한 속에서 함락되었다.

원저자 저우얼푸(周而復)

前 문화부 부부장(副部長, 차관)이자 저명한 작가로서 활발히 활동하였다. 병으로 인해 2004년 1월 8일 베이징에서 향년 90세로 작고하였다.

그림 주전겅(朱振庚)

화중(華中)사범대학미술과 교수로 대표작으로는 짙은 시대적 분위기를 잘 그려내어 제6회 중국미술작품전시회에서 호평을 받은 그림이야기책(連環畵) 『좡비에티엔야(壯別天涯)』가 있다. 이 작품을 통해 1986년 제3회 중국그림이야기책어워드에서 수상한 바 있으며 제6~8차 중국미술작품전시회에서 입선하였다. 2012년 2월 향년 74세로 별세하였다.

각색 따루(大魯) 황뤄구(黃若谷)

작품활동 가운데 『교통역 이야기(交通站的故事)』는 제1차 중국연환화어워드 문학각본 3등, 『바이마오뉘(白毛女)』는 제2차 중국그림이야기책어워드 문학각본 2등을 수상하는 영예를 안았다. 이 외 각본작품들로는 『천징룬(陳景潤)』, 『이사광(李四光)』, 『중국고대 4대 발명』, 『외국과학자』, 『감진화상(鑒眞和尙)』, 『당백호(唐伯虎)』, 『8대 산인(八大山人)』, 『난정전기(蘭亭傳奇)』 등 다수가 있다.

번역 김숙향(金淑香)

중국어 번역 전문프리랜서로 한국 고려대학교에서 석사과정을 마친 뒤 중국 상해 복단대학에서 중국문학으로 박사학위를 받았다. 현재 중국 문학과 문화에 관심을 가지고 모교를 비롯한 여러 대학에서 강의를 하면서 연구와 번역을 병행하고 있다. 지금까지 번역 출판된 책으로는 『대여행가』, 『명장』, 『제왕』, 『맹자 지혜』 등 다수가 있다.